NO DES PUNTADA SIN HILO
Colección Sin Límites

Edición general: Ana María Pavez y Constanza Recart
Compilación: Manuel Peña Muñoz
Diseño: Philippe Petitpas
Fotografía: Roque Rodríguez
Segunda edición: octubre 2017
N° registro: 257.264
ISBN: 978-956-364-045-8
Impreso en China

No des puntada sin hilo. Ilustraciones de Maureen Chadwick.
2º ed.- Santiago: Amanuta, 2017.
[64p.]; il. col. 17 x 20 cm. (Colección Sin Límites).
ISBN: 978-956-364-045-8
1. PROVERBIOS I. Peña Muñoz, Manuel I. t.
2015398.9 + DDC23 RCAA2

NO DES PUNTADA SIN HILO

MAUREEN CHADWICK

MANUEL PEÑA MUÑOZ

editorial amanuta
COLECCIÓN SIN LÍMITES

PRÓLOGO

Los refranes son frases ingeniosas que se intercalan en la conversación para sorprender y resumir una situación. Agudos y certeros, son verdaderas fórmulas mágicas que ayudan a comprender un problema, dando un sabio consejo final. Curiosos y divertidos, son pinceladas de poesía en el habla coloquial. A menudo son gotas de filosofía popular que encierran una profunda verdad en pocas palabras.

El refrán consta de dos frases que se complementan: "Aunque la mona se vista de seda, mona se queda". Esta sentencia alude a que las apariencias engañan pues por más que se vista bien una persona siempre se trasluce su esencia. En tanto que el refrán "Cuando el río suena, es porque piedras trae", indica que las murmuraciones esconden siempre algo de verdad.

En el libro *El Quijote de la Mancha*, Sancho Panza los dice siempre: "Dime con quien andas y te diré quien eres". Sin tener gran cultura, este personaje dice el refrán en el momento oportuno sorprendiendo al Quijote por su capacidad de síntesis: "El que a buen árbol se arrima, buena sombra le cobija", le dice. Este sabio refrán indica que podemos obtener beneficios si sabemos relacionarnos bien. "Quien canta, sus males espanta" recomienda enfrentarse con buen ánimo a las adversidades de la vida.

Con un juego de palabras en la rima, el refrán hace alusión a que muchas veces hay una gran distancia entre lo que decimos y lo que hacemos. Cada uno encaja en una situación de vida de manera perfecta.

Espigados de la tradición oral, estos refranes de la lengua castellana, seleccionados para

niños, constituyen una invitación a pensar a través de estas frases misteriosas que esconden un significado moral, muchas veces un consejo práctico, una advertencia o una sentencia irónica. Cada uno de ellos es un puente mágico para iniciarse en la literatura pues son metáforas de la vida. Además pertenecen al rico repertorio de poesía popular que se ha transmitido por tradición oral a lo largo de muchas generaciones.

El título del libro "No des puntada sin hilo" sugiere la idea de que muchas veces nuestras acciones buscan un segundo propósito a menudo escondido. Las sugerentes ilustraciones de Maureen Chadwick son "puntadas con hilo", pues las realizó bordando cada refrán con hilo, "una aguja y un dedal" como dice la rima infantil. La relación con el folclore poético de la infancia es evidente. Las labores de punto cruz con hilo de bordar de vivos colores pertenecen a una artesanía olvidada que se pone en valor, descubriendo su belleza, del mismo modo que estos refranes han sido rescatados del habla popular para nuestro deleite.

En este libro hemos seleccionado los mejores refranes para difundirlos y que no se pierdan. El ideal es leerlos en voz alta y descubrir su significado, pues son verdaderos acertijos, a veces enigmáticos que siempre nos muestran una faceta oculta de la realidad y nos pintan una sonrisa en la cara.

Metáforas del habla cotidiana, joyas del idioma, genuino placer y pura imaginación, estos refranes son auténtica poesía.

Manuel Peña Muñoz.
Escritor y especialista en literatura
infantil y juvenil.

CADA
OVEJA
CON SU
PAREJA

CUANDO MENOS
SE PIENSA
SALTA
LA LIEBRE

DE
NOCHE
TODOS
LOS
GATOS
SON
NEGROS

CUANDO
EL
GATO
NO ESTÁ
LOS RATONES
BAILAN

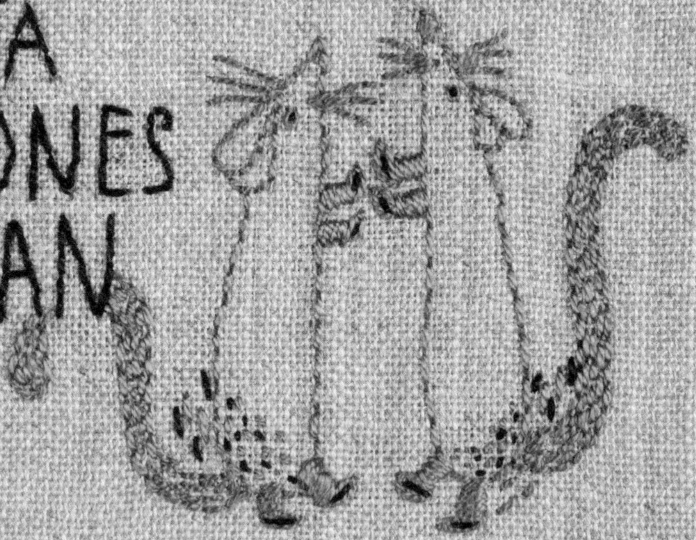

AREMOS
DIJO LA MOSCA
PARADA
EN LOS CACHOS
DEL BUEY

EN BOCA
CERRADA
NO ENTRAN
MOSCAS

EL HOMBRE
Y
EL OSO
CUANTO
MÁS FEO
MÁS HERMOSO

EL Y EL
PERRO NIÑO
DONDE VEN CARIÑO

A CADA
PAJARILLO
LE GUSTA
SU
NIDILLO

MÁS VALE PÁJARO EN LA MANO QUE CIEN VOLANDO

TODO
DEPENDE
DEL CRISTAL
CON QUE SE MIRA

DIME CON QUIÉN ANDAS
Y TE DIRÉ QUIÉN ERES

EL
PEZ
GRANDE
SE COME
AL
CHICO

POR LA
BOCA
MUERE
EL PEZ

A BUEN ENTENDEDOR
POCAS PALABRAS

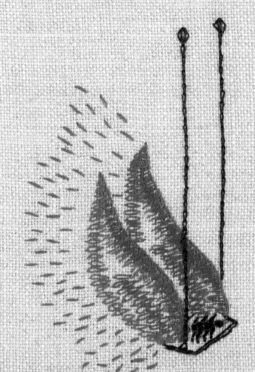

EL QUE NO CORRE ,VUELA

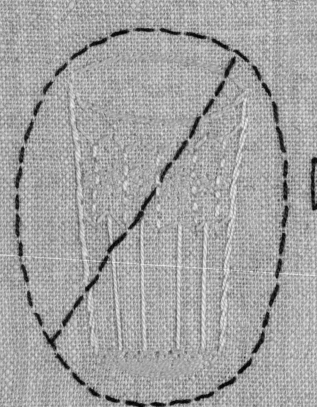

NUNCA
DIGAS
DE ESTA AGUA
NO BEBERÉ

AGUA
QUE
NO HAS
DE BEBER
DÉJALA
CORRER

UNOS NACEN CON ESTRELLA Y OTROS NACEN ESTRELLADOS

QUIEN
A BUEN ARBOL
SE ARRIMA
BUENA SOMBRA
LE COBIJA

DEL ÁRBOL CAÍDO
TODOS HACEN LEÑA

CUANDO EL RÍO SUENA
ES PORQUE PIEDRAS TRAE

A RÍO REVUELTO GANANCIA DE PESCADORES

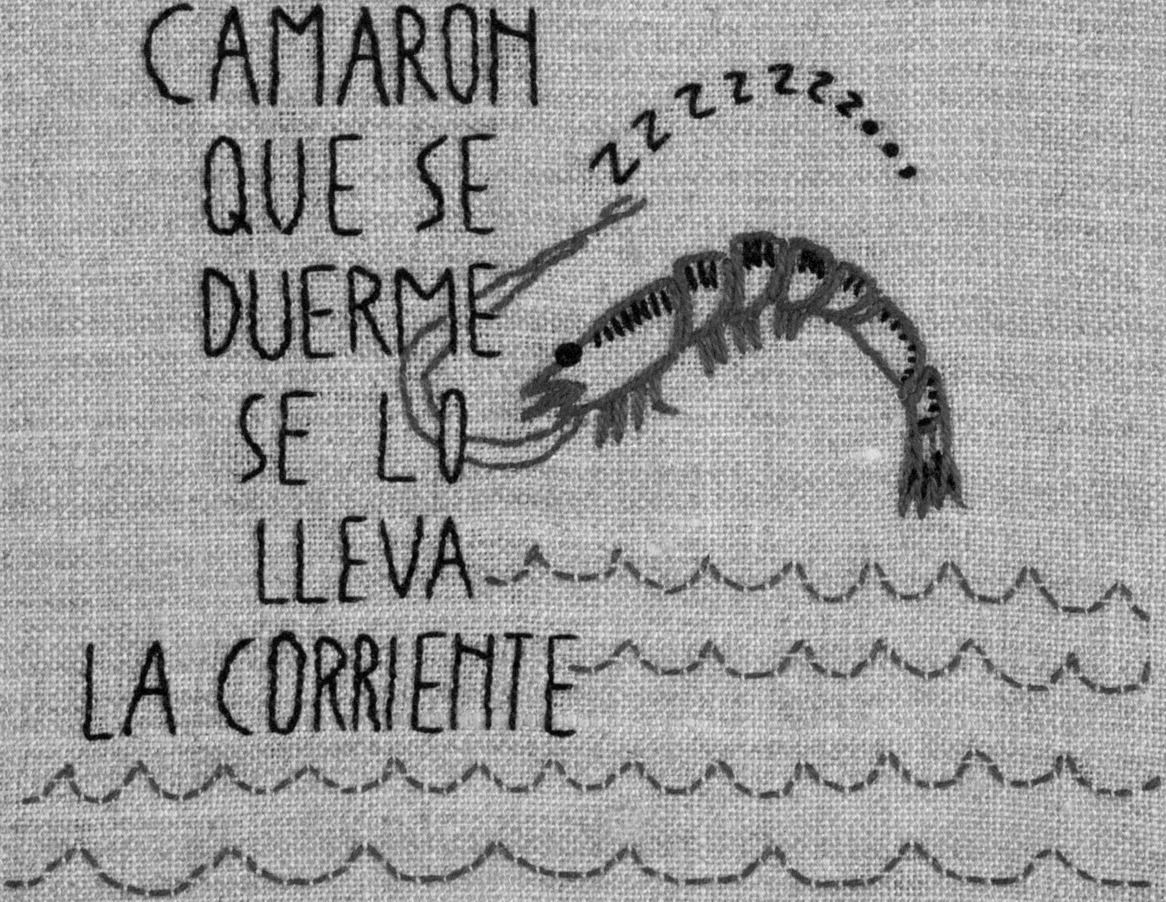
CAMARÓN
QUE SE
DUERME
SE LO
LLEVA
LA CORRIENTE

EL PERFUME BUENO VIENE EN FRASCO CHICO

SIEMBRA VIENTOS Y COSECHARÁS TEMPESTADES

CRÍA
CUERVOS
Y TE
SACARÁN
LOS OJOS

DE TAL
PALO

TAL
ASTILLA

PASTELERO A TUS PASTELES

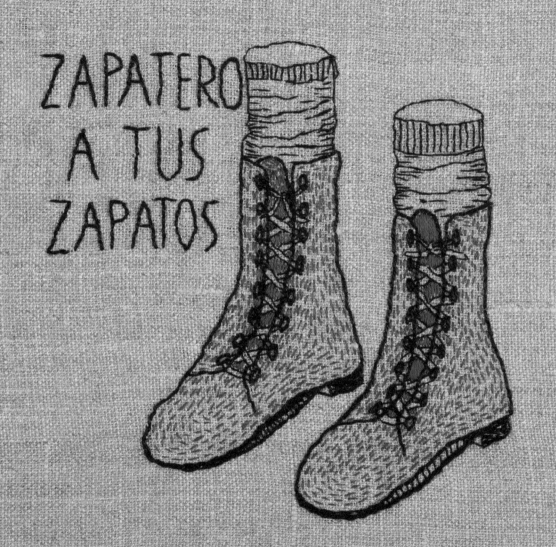

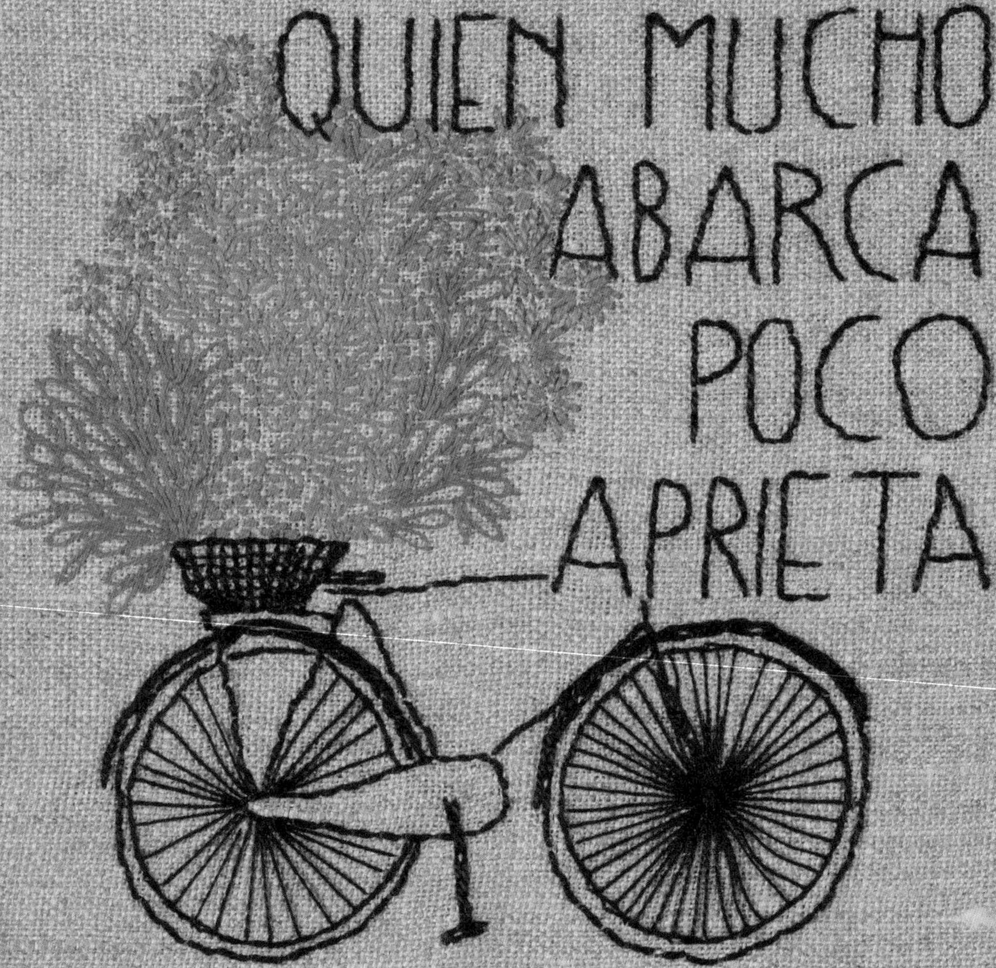
QUIEN MUCHO
ABARCA
POCO
APRIETA

UNA MANO
LAVA LA OTRA
Y LAS DOS
LA CARA

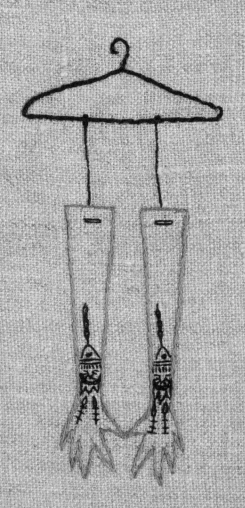

A FALTA DE PAN
BUENAS SON LAS
TORTAS

ESCOBA NUEVA
SIEMPRE
BARRE BIEN

ANTES SE
PILLA A UN
MENTIROSO
QUE A UN
LADRÓN

TODOS LOS CAMINOS
CONDUCEN A ROMA

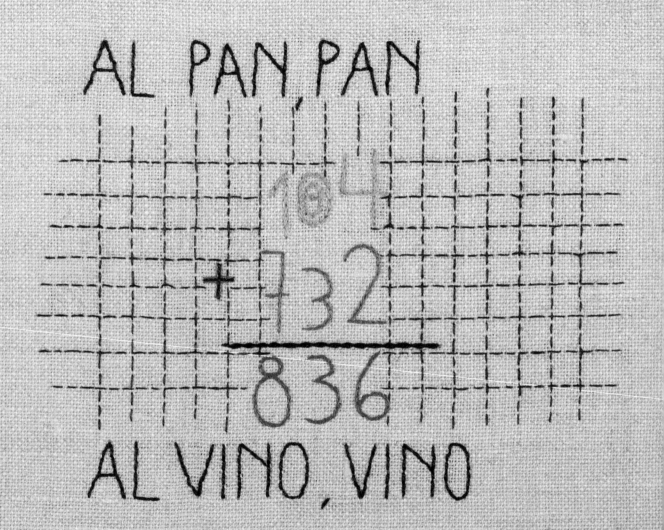

AL PAN, PAN

$$104 + 732 \over 836$$

AL VINO, VINO

EL HILO SE ROMPE
POR
LO
MÁS
DELGADO

PODEROSO
CABALLERO
ES DON
DINERO

ESTÁ BUENO
EL CILANTRO
PERO NO TANTO

EL QUE TIENE
TIENDA
QUE LA
ATIENDA

TANTO VA EL CÁNTARO A LA FUENTE QUE AL FINAL SE ROMPE

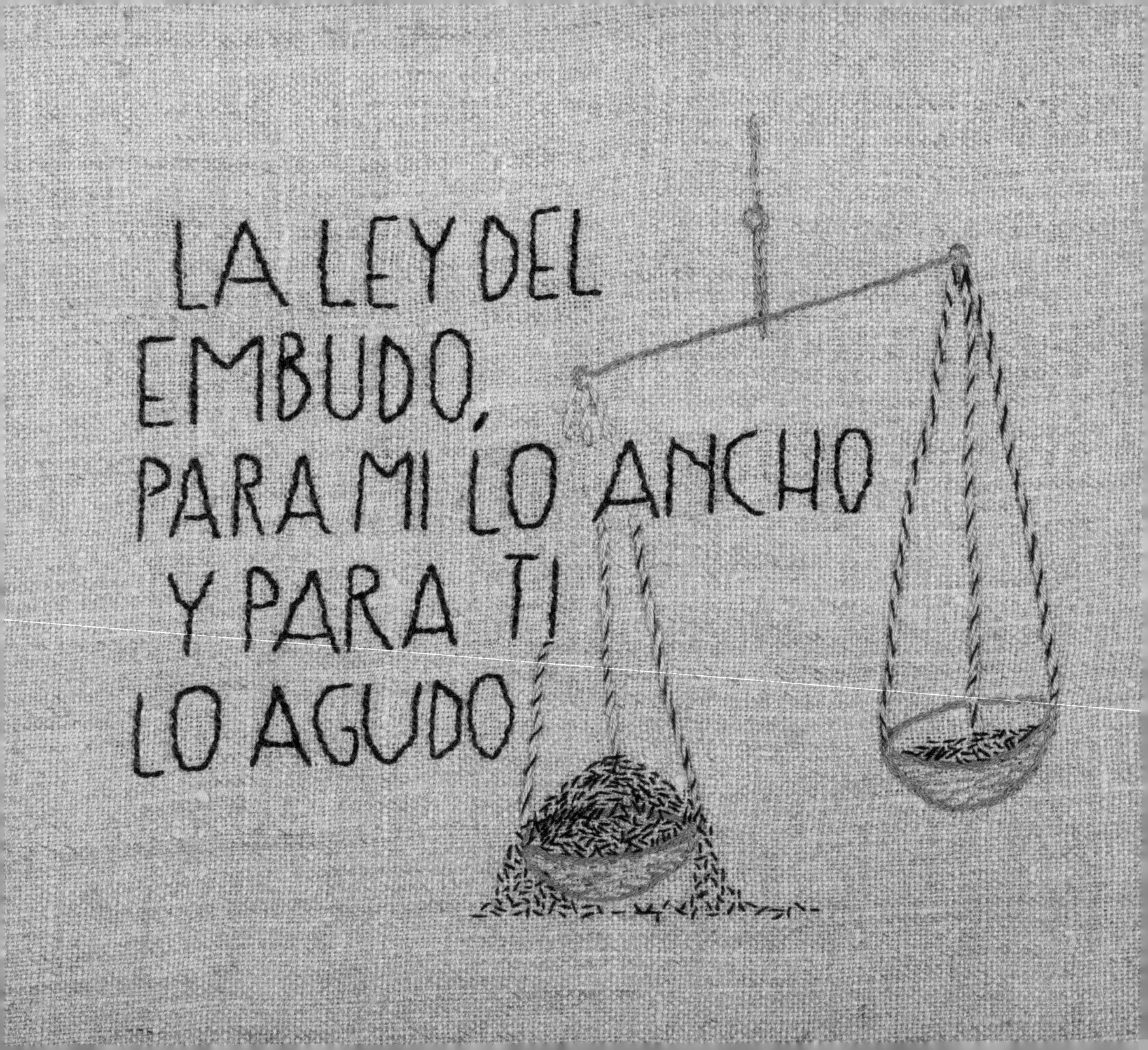

LA LEY DEL
EMBUDO,
PARA MI LO ANCHO
Y PARA TI
LO AGUDO

LA OCASIÓN HACE
AL LADRÓN

EL QUE QUIERE CELESTE

QUE LE CUESTE

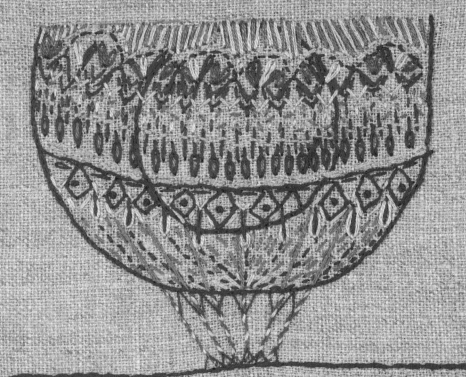

MÁS VALE SOLO QUE
MAL ACOMPAÑADO